L'école hantée

Texte de Robin Wasserman

Illustrations de Duendes del Sur

Texte français de Marie-Carole Daigle

Je peux lire! – Niveau 1

Copyright © 2003 Hanna-Barbera
SCOOBY-DOO et tous les personnages et éléments qui y sont associés sont des marques de commerce et © de Hanna-Barbera.
WB SHIELD : ™ & © Warner Bros. Entertainment Inc.
(s03)

Copyright © Les éditions Scholastic, 2003, pour le texte français.
Tous droits réservés.

ISBN 0-439-97519-0

Titre original : Scooby-Doo! Ghost School

Conception graphique de Maria Stasavage

Édition publiée par Les éditions Scholastic, 175 Hillmount Road, Markham (Ontario) L6C 1Z7

5 4 3 2 1   Imprimé au Canada   03 04 05 06

Les éditions Scholastic

Le ciel est couvert et il pleut.

 , et vont chez un ami.

 et restent à la  .

Ils ne peuvent pas aller jouer

dehors.

Ils s'ennuient.

Il n'y a rien de bon à la .

Il n'y a plus de à lire.

Il n'y a même plus de à manger!

Il n'y a rien à faire...

— C'est vraiment ennuyant, ,

dit . Qu'est-ce qu'on pourrait

faire?

 n'a aucune idée.

 , lui, en a une!

— Allons à l' ! dit-il. On pourrait

aller voir notre ami, M. Lecours.

M. Lecours enseigne à l' .

 et laissent une

à , et . Puis ils vont

à l' .

Mais il y a quelque chose d'étrange.

L' est sombre et vide.

— Où sont passés les élèves et les enseignants? demande .

Peut-être qu'un les a enlevés!

— Un ? R'oh, r'oh! dit .

— Vite, ! Il faut les retrouver! dit .

et fouillent partout.

Ils regardent dans chaque .

Ils regardent sous chaque .

 trouve un et une feuille

de .

 trouve une .

Mais ils ne trouvent ni les élèves,

ni les enseignants, ni le .

Ils vont dans la salle de musique.

La pièce est sombre et vide.

Ils fouillent partout.

 trouve un .

 trouve une .

Mais ils ne trouvent ni les élèves,

ni les enseignants, ni le .

Grâce au de , ils trouvent

la cafétéria. Mais elle est sombre

et vide.

Ils fouillent partout.

 regarde sous chaque 🪑 .

🐕 regarde sur chaque 🪑 .

Mais ils ne trouvent ni les élèves,

ni les enseignants, ni le 👻 .

et quittent la cafétéria.

 voit une .

C'est une de placard.

Le placard est sombre, mais

il n'est pas vide.

 trouve un .

 trouve un .

Ils ne trouvent ni les élèves,

ni les enseignants.

Mais ils trouvent un !

— Au r'ecours! crie .

 et sortent du placard

en courant.

Ils passent devant la cafétéria.

Ils passent devant la salle de musique

Ils sortent de l' en courant.

Puis ils voient , et .

— Un  ! crie .

— Ça alors! dit  . Un ?

Où ça?

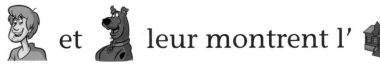 et leur montrent l' ,

qui est sombre et vide.

Puis et les emmènent

voir le .

— Mais ce n'est pas un ,

dit . C'est seulement un drap

sur une vadrouille!

— S'il n'y a pas de , où sont

passés les élèves? demande .

Et où sont les enseignants?

— Les élèves et les enseignants sont

chez eux, dit .

— Comment tu le sais? demande

 sourient, puis

répondent en chœur :

— Parce que c'est samedi, aujourd'hui

As-tu bien regardé toutes les images
du rébus de cette énigme
de Scooby-Doo?

Chaque image figure sur une
carte-éclair. Demande à un plus
grand de découper les cartes-éclair
pour toi. Essaie ensuite de lire
les mots inscrits au verso des cartes.
Les images te serviront d'indices.

Avec Scooby-Doo, la lecture,
c'est amusant!

Fred	Scooby
Véra	Daphné
Sammy	Scooby Snax

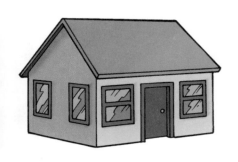

Partis
à l'école
Sammy

télévision	maison
école	livres
fantôme	note

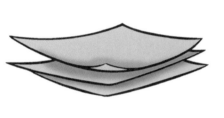

chaise	pupitre
papier	crayon
tambour	pomme

nez	trompette
table	porte
balai	seau